Elin Meek

Illustrations
Ryan Head

Cynnwys

Contents

3

Helô! Del dw i. Croeso!

hello! Del dwee. <u>kroy</u>-soh!

Hello! I'm Del. Welcome!

Sut wyt ti?	*How are you? (singular familiar)*
Sut dych chi? (S.W.)	*How are you? (singular formal or plural)*
Sut dach chi? (N.W.)	
Da iawn, diolch.	*Very good, thanks.*
Iawn.	*OK.*
Ofnadwy.	*Terrible.*
Wedi blino.	*Tired.*
Bore da!	*Good morning!*
Prynhawn da!	*Good afternoon!*
Noswaith dda!	*Good evening!*
Nos da!	*Good night!*

Hwyl!	*Good-bye!*
Hwyl am y tro!	*Bye for now!*
Esgusodwch fi.	*Excuse me.*
Plîs.	*Please.*
Diolch.	*Thanks/Thank you.*
Diolch yn fawr.	*Thanks a lot.*
Diolch yn fawr iawn.	*Thank you very much.*
Mae'n flin 'da fi. (S.W.)	*I'm sorry.*
Mae'n ddrwg gen i. (N.W)	

SUT WYT TI?

Dyma fy ffrindiau.

duh-mah vuh
freend-eeaye

Here are my friends.

HUW

BECA

EMRYS (TAID)

| Dw i'n hoffi ... | I like ... |
| Dw i ddim yn hoffi ... | I don't like ... |

Dw i'n hoffi rygbi.	*I like rugby.*
Dw i'n hoffi hoci.	*I like hockey.*
Dw i'n hoffi pêl-droed.	*I like football.*
Dw i'n hoffi golff.	*I like golf.*

Dw i ddim yn hoffi sgio.	*I don't like skiing.*
Dw i ddim yn hoffi snwcer.	*I don't like snooker.*
Dw i ddim yn hoffi criced.	*I don't like cricket.*
Dw i ddim yn hoffi tennis.	*I don't like tennis.*

Wyt ti'n hoffi bowls?	Do you like bowls? (singular familiar)
Dych chi'n hoffi bowls? (S.W.)	(singular formal or plural)
Dach chi'n hoffi bowls? (N.W.)	

Ydw. / Nac ydw.	Yes (I do). / No (I don't).

A ti?	And you? (singular familiar)
A chi?	And you? (singular formal or plural)

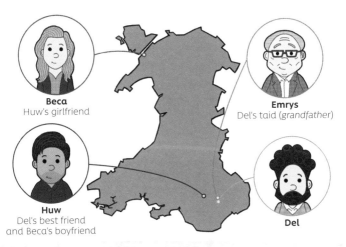

Beca
Huw's girlfriend

Emrys
Del's taid (grandfather)

Huw
Del's best friend
and Beca's boyfriend

Del

Dw i'n hoffi dawnsio!

*dween <u>hoff</u>-ee
<u>dahoowns</u>-eeoh*

I like dancing!

Pa chwaraeon wyt ti'n (eu) hoffi?	*What sports do you like? (singular familiar)*
Pa chwaraeon dych chi'n (eu) hoffi? (S.W.) Pa chwaraeon dach chi'n (eu) hoffi? (N.W.)	*(singular formal or plural)*

Dw i'n hoffi ....

Dw i ddim yn hoffi ....

pêl fas	*baseball*
pêl-fasged	*basketball*
bowlio	*bowling*
cerdded	*walking*
criced	*cricket*
pêl-droed	*football*
golff	*golf*
pêl-rwyd	*netball*
rygbi	*rugby*
snwcer	*snooker*
sboncen	*squash*
tennis bwrdd	*table tennis*
tennis	*tennis*
pêl-foli	*volleyball*
chwaraeon dŵr	*watersports*

Download this free Welsh dictionary app, **GPC Online** (http://gpc.cymru) to find more sporting terms and extend your Welsh vocabulary.

Available from Apple, Amazon, or Google app stores.

Dw i'n hoffi beicio.

dween <u>hoff</u>-ee <u>bake</u>-eeoh

I like cycling.

Dw i ddim yn hoffi chwaraeon dŵr!

dwee thim uhn <u>hoff</u>-ee kchoowahr-<u>ay</u>-on d-oo-r

I don't like watersports!

| Dw i'n chwarae ... | I play ... |
| Dw i ddim yn chwarae ... | I don't play ... |

Dw i'n chwarae tennis.	*I play tennis.*
Dw i'n chwarae golff.	*I play golf.*
Dw i'n chwarae snwcer.	*I play snooker.*
Dw i'n chwarae pêl-droed.	*I play football.*
Dw i ddim yn chwarae pêl-fasged.	*I don't play basketball.*
Dw i ddim yn chwarae rygbi.	*I don't play rugby.*
Dw i ddim yn chwarae pêl-foli.	*don't play volleyball.*
Dw i ddim yn chwarae pêl-rwyd.	*I don't play netball.*

DW I DDIM YN CHWARAE TENNIS.

DW I'N CHWARAE SBONCEN, PÊL-DROED, PÊL-FASGED A GOLFF.

Wyt ti'n chwarae sboncen?	*Do you play squash?* *(singular familiar)*
Dych chi'n chwarae sboncen? (S.W.) Dach chi'n chwarae sboncen? (N.W.)	*(singular formal or plural)*

Ydw. / Nac ydw.

Yes (I do). / No (I don't).

A ti?

And you? (singular familiar)

A chi?

And you? (singular formal or plural)

Pa chwaraeon wyt ti'n (eu) gwneud / chwarae?	What sports do you do / play? (singular familiar)
Pa chwaraeon dych chi'n (eu) gwneud / chwarae? (S.W.) Pa chwaraeon dach chi'n (eu) gwneud / chwarae? (N.W.)	(singular formal or plural)

Dw i'n chwarae ....

Dw i ddim yn chwarae ....

DW I'N CHWARAE CRICED.

DW I DDIM YN CHWARAE RYGBI.

Dw i'n hoffi chwarae ...	I like playing ...
Dw i ddim yn hoffi chwarae ...	I don't like playing ...

Dw i'n hoffi chwarae tennis bwrdd.	I like playing table tennis.
Dw i'n hoffi chwarae snwcer.	I like playing snooker.
Dw i'n hoffi chwarae pêl-foli.	I like playing volleyball.
Dw i'n hoffi chwarae golff.	I like playing golf.

Dw i ddim yn hoffi chwarae criced.	I don't like playing cricket.
Dw i ddim yn hoffi chwarae bowls.	I don't like playing bowls.
Dw i ddim yn hoffi chwarae sboncen.	I don't like playing squash.
Dw i ddim yn hoffi chwarae tennis.	I don't like playing tennis.

Wyt ti'n hoffi chwarae golff?	*Do you like playing golf?* *(singular familiar)*
Dych chi'n hoffi chwarae golff? (S.W.) Dach chi'n hoffi chwarae golff? (N.W.)	*(singular formal or plural)*

Ydw. / Nac ydw.	*Yes (I do). / No (I don't).*

A ti?	*And you? (singular familiar)*
A chi?	*And you? (singular formal or plural)*

WYT TI'N HOFFI CHWARAE PÊL-FASGED?

NAC YDW, DW I'N HOFFI CHWARAE TENNIS BWRDD.

Pa chwaraeon wyt ti'n hoffi (eu) chwarae?	*What sports do you like playing? (singular familiar)*
Pa chwaraeon dych chi'n hoffi (eu) chwarae? (S.W.)	
Pa chwaraeon dach chi'n hoffi (eu) chwarae? (N.W.)	*(singular formal or plural)*

Dw i'n hoffi chwarae ....

Dw i ddim yn hoffi chwarae ....

Dw i'n hoffi chwarae rygbi.

dween <u>hoff</u>-ee <u>kchoowahr</u>-eye rugby

I like playing rugby.

Dw i'n mynd ...	*I go / I'm going ...* *(place or activity)*
Dw i ddim yn mynd ...	*I don't go / I'm not going ...*

Dw i'n mynd i'r pwll nofio.	*I go / I'm going to the swimming pool.*
Dw i'n mynd i nofio.	*I go / I'm going swimming.*
Dw i ddim yn mynd i'r gampfa.	*I don't go / I'm not going to the gym.*
Dw i ddim yn mynd i'r clwb.	*I don't go / I'm not going to the club.*

Wyt ti'n mynd i sgio?	*Do you go / Are you going skiing? (singular familiar)*
Dych chi'n mynd i sgio? (S.W.) Dach chi'n mynd i sgio? (N.W.)	*(singular formal or plural)*

Ydw. / Nac ydw.	*Yes. / No.*

i'r clwb	*to the club*
i'r gampfa	*to the gym*
i'r ganolfan chwaraeon	*to the sports centre*
i'r ganolfan hamdden	*to the leisure centre*
i'r gêm	*to the game*
i'r stadiwm	*to the stadium*
i'r pwll nofio	*to the swimming pool*
i gadw'n heini**	*to keep fit*
i chwarae golff	*to play golf*
i gerdded	*walking / to walk*
i nofio	*swimming / to swim*
i redeg**	*running / to run*
i rwyfo**	*rowing / to row*
i sglefrio	*skating / to skate*
i sgio	*skiing / to ski*

 **There is a slight change to these verbs in Welsh after i, better to learn the phrase as it is for now.

Dw i'n hoffi mynd ...	I like going ...
Dw i ddim yn hoffi mynd ...	I don't like going ...

Dw i'n hoffi mynd i'r pwll nofio.	I like going to the swimming pool.
Dw i'n hoffi mynd i'r ganolfan hamdden.	I like going to the leisure centre.
Dw i'n hoffi mynd i gadw'n heini.	I like going to keep fit.

Dw i ddim yn hoffi mynd i gerdded.	I don't like going walking.
Dw i ddim yn hoffi mynd i'r ganolfan chwaraeon.	I don't like going to the sports centre.
Dw i ddim yn hoffi mynd i'r clwb.	I don't like going to the club.

WYT TI'N HOFFI MYND I'R GAMPFA?

Wyt ti'n hoffi mynd i'r gampfa?	*Do you like going to the gym? (singular familiar)*
Dych chi'n hoffi mynd i'r gampfa? (S.W.)	
Dach chi'n hoffi mynd i'r gampfa? (N.W.)	*(singular formal or plural)*

Ydw. / Nac ydw.   *Yes (I do). / No (I don't).*

A ti?   *And you? (singular familiar)*

A chi?   *And you? (singular formal or plural)*

Dw i'n hoffi mynd ....

Dw i ddim yn hoffi mynd ....

NAC YDW.

Dw i ddim yn hoffi mynd i sglefrio.

dwee thim uhn <u>hoff</u>-ee mihnd ee <u>sglehvr</u>-eeoh

I don't like going skating.

Dw i'n gwylio ...	*I watch ...*
Dw i ddim yn gwylio ...	*I watch ...*

Dw i'n gwylio pêl-droed. — *I watch football.*

Dw i'n gwylio hoci. — *I watch hockey.*

Dw i'n gwylio rygbi. — *I watch rugby.*

Dw i'n gwylio athletau. — *I watch athletics.*

Dw i ddim yn gwylio pêl-rwyd. — *I don't watch netball.*

Dw i ddim yn gwylio golff. — *I don't watch golff.*

Dw i ddim yn gwylio tennis. — *I don't watch tennis.*

Dw i ddim yn gwylio sgio. — *I don't watch skiing.*

Wyt ti'n gwylio tennis?	*Do you watch tennis?* *(singular familiar)*
Dych chi'n gwylio tennis? (S.W.)	
Dach chi'n gwylio tennis? (N.W.)	*(singular formal or plural)*
Ydw. / Nac ydw.	*Yes (I do). / No (I don't).*
A ti?	*And you? (singular familiar)*
A chi?	*And you? (singular formal or plural)*

WYT TI'N GWYLIO RYGBI?

NAC YDW, DW I'N GWYLIO TENNIS.

Dw i'n hoffi gwylio ...	I like watching ...
Dw i ddim yn hoffi gwylio ...	I don't like watching ...

Dw i'n hoffi gwylio rygbi.	I like watching rugby.
Dw i'n hoffi gwylio athletau.	I like watching athletics.

Dw i ddim yn hoffi gwylio criced.	I don't like watching cricket.
Dw i ddim yn hoffi gwylio pêl-droed.	I don't like watching football.

ar y teledu	on television

Dw i'n hoffi gwylio snwcer ar y teledu.	I like watching snooker on television.
Dw i ddim yn hoffi gwylio tennis ar y teledu.	I don't like watching tennis on television.

Wyt ti'n hoffi gwylio dartiau ar y teledu?	*Do you like watching darts on television? (singular familiar)*
Dych chi'n hoffi gwylio dartiau ar y teledu? (S.W.) Dach chi'n hoffi gwylio dartiau ar y teledu? (N.W.)	*(singular formal or plural)*

 Ydw. / Nac ydw.   *Yes. / No.*

Dw i'n hoffi gwylio athletau ar y teledu.

dween <u>hoff</u>-ee <u>gooel</u>-eeoh ath-<u>leht</u>-ahee ahr uh tell-<u>eh</u>-dee

I like watching athletics on television.

Ar eich marciau, barod, ewch!

Ahr eheekch <u>mahrk</u>-eeaye, <u>bahr</u>-ohd, ehookch!

On your marks, get set, go!

Pa chwaraeon wyt ti'n hoffi (eu) gwylio?	*What sports do you like watching? (singular familiar)*
Pa chwaraeon dych chi'n hoffi (eu) gwylio? (S.W.) Pa chwaraeon dach chi'n hoffi (eu) gwylio? (N.W.)	*(singular formal or plural)*

Dw i'n hoffi gwylio ....

Dw i ddim yn hoffi gwylio .... ar y teledu.

WYT TI'N HOFFI GWYLIO SGIO AR Y TELEDU?

YDW, DW I'N HOFFI GWYLIO SGIO.

Dw i'n cefnogi ...	*I support ...*
Dw i ddim yn cefnogi ...	*I don't support ...*

Dw i'n cefnogi Abertawe.	*I support Swansea.*
Dw i'n cefnogi Cymru.	*I support Wales.*

Dw i ddim yn cefnogi Caerdydd.	*I don't support Cardiff.*
Dw i ddim yn cefnogi Lloegr.	*I don't support England.*

Dw i ddim yn cefnogi Casnewydd.

dwee thim uhn
cevn-<u>ogg</u>-ee
kahs-<u>nehoo</u>-eeth

I don't support Newport.

Wyt ti'n cefnogi Wrecsam?	*Do you support Wrexham?* *(singular familiar)*
Dych chi'n cefnogi Wrecsam? (S.W.) Dach chi'n cefnogi Wrecsam? (N.W.)	*(singular formal or plural)*

Ydw. / Nac ydw.	*Yes (I do). / No (I don't).*

A ti?	*And you? (singular familiar)*
A chi?	*And you? (singular formal or plural)*

PA DÎM WYT TI'N EI GEFNOGI, BECA?

DW I'N CEFNOGI WRECSAM.

Pa dîm wyt ti'n (ei) gefnogi?	*What team do you support?* *(singular familiar)*
Pa dîm dych chi'n (ei) gefnogi? (S.W.)	
Pa dîm dach chi'n (ei) gefnogi? (N.W.)	*(singular formal or plural)*

Dw i'n cefnogi ....

Dw i ddim yn cefnogi ....

Pwy wyt ti'n (ei) gefnogi?

pooee ooeet teen (ay) gehvn-ogg-ee?

Who do you support?

Ro'n i'n arfer chwarae rygbi.	*I used to play rygbi.*

Ro'n i'n arfer gwylio pêl-droed.	*I used to watch football.*
Ro'n i'n arfer hoffi pêl-rwyd.	*I used to like netball.*
Ro'n i'n arfer mynd i'r gampfa.	*I used to go to the gym.*

A ti?	*And you? (singular familiar)*

Ro'n i'n arfer ....

RO'N I'N ARFER
CHWARAE RYGBI.
A TI, DEL?

RO'N I'N ARFER
GWYLIO RYGBI.

Do'n i ddim yn arfer chwarae hoci.	I didn't use to play hockey.

Do'n i ddim yn arfer gwylio snwcer.	I didn't use to watch snooker.
Do'n i ddim yn arfer mynd i sgio.	I didn't use to go skiing.
Do'n i ddim yn arfer rhedeg.	I didn't use to run.

A chi?	And you? (singular formal and plural)

Do'n i ddim yn arfer ....

| Fy hoff ... i yw ... (S.W.) | My favourite ... is ... |
| Fy hoff ... i ydy ... (N.W.) | My favourite ... is ... |

Fy hoff dîm i yw Caerdydd. (S.W.)

Fy hoff dîm i ydy Caerdydd. (N.W.)

My favourite team is Cardiff.

Fy hoff gamp i yw hoci. (S.W.)

Fy hoff gamp i ydy hoci. (N.W.)

My favourite sport is hockey.

Fy hoff safle i yw ymosodwr. (S.W)

Fy hoff safle i ydy ymosodwr. (N.W.)

My favourite position is attacker.

Fy hoff chwaraewr i yw Joanna Jones. (S.W.)

Fy hoff chwaraewr i ydy Joanna Jones. (N.W.)

My favourite player is Joanna Jones.

Fy hoff ... i oedd ...	*My favourite ... was ...*
Fy hoff dîm i oedd Abertawe.	*My favourite team was Swansea.*
Fy hoff gamp i oedd rhwyfo.	*My favourite sport was rowing.*
Fy hoff safle i oedd asgellwr.	*My favourite position was winger.*
Fy hoff chwaraewr i oedd John Jones.	*My favourite player was John Jones.*

Fy hoff gamp i yw merlota. (S.W.)

vuh hoff gamp ee eeoo mehr-<u>lot</u>-ah

My favourite sport is pony trekking.

Fy hoff gamp i ydy merlota. (N.W.)

| Pa un yw dy hoff ... di? (S.W.) | Which is your favourite ... ? |
| Pa un ydy dy hoff ... di? (N.W.) | (singular familiar) |

| Pa un yw dy hoff dîm di? (S.W.) | Which is your favourite team? |
| Pa un ydy dy hoff dîm di? (N.W.) | (singular familiar) |

| Pa un yw dy hoff safle di? (S.W.) | Which is your favourite position? |
| Pa un ydy dy hoff safle di? (N.W.) | (singular familiar) |

| Pa un oedd dy hoff ... di? | Which was your favourite ... ? |
| | (singular familiar) |

| Pa un oedd dy hoff gamp di? | Which was your favourite sport? (singular familiar) |

| Pa un oedd dy hoff safle di? | Which was your favourite position? (singular familiar) |

Pa un yw eich hoff ... chi? (S.W.) Pa un ydy eich hoff ... chi? (N.W.)	*Which is your favourite ... ?* *(singular formal or plural)*

Pa un yw eich hoff gamp chi? (S.W.) Pa un ydy eich hoff gamp chi? (N.W.)	*Which is your favourite sport?* *(singular formal or plural)*

Pa un yw eich hoff dîm chi? (S.W.) Pa un ydy eich hoff dîm chi? (N.W.)	*Which is your favourite team?* *(singular formal or plural)*

Pa un oedd eich hoff ... chi?	*Which was your favourite ... ?*

Pa un oedd eich hoff safle chi?	*Which was your favourite position? (singular formal or plural)*

Pa un oedd eich hoff gamp chi?	*Which was your favourite sport? (singular formal or plural)*

Pwy yw dy hoff ... di? (S.W.) Pwy ydy dy hoff ... di? (N.W.)	*Who is your favourite ... ?* *(singular familiar)*

Pwy yw dy hoff chwaraewr di? (S.W.)

Pwy ydy dy hoff chwaraewr di? (N.W.)

Who is your favourite player?
(singular familiar)

Pwy oedd dy hoff ... di?	*Who was your favourite ... ?* *(singular familiar)*

Pwy oedd dy hoff athletwr di?

Who was your favourite athlete? (singular familiar)

Pwy oedd dy hoff reolwr di?

Who was your favourite manager?

Pwy yw eich hoff ... chi? (S.W.) **Pwy ydy eich hoff ... chi? (N.W.)**	*Who is your favourite ... ?* *(singular formal or plural)*

Pwy yw eich hoff hyfforddwr chi? (S.W.) Pwy ydy eich hoff hyfforddwr chi? (N.W.)	*Who is your favourite trainer?* *(singular formal or plural)*

Pwy oedd eich hoff ... chi?	*Who was your favourite ... ?* *(singular formal or plural)*

Pwy oedd eich hoff chwaraewr chi?	*Who was your favourite player?* *(singular formal or plural)*
Pwy oedd eich hoff athletwr chi?	*Who was your favourite athlete?*

Pwy ydy dy hoff chwaraewr di? (N.W.)

pooee <u>uh</u>-dee duh hoff kchooahr-<u>ahee</u>-oor dee?

Who is your favourite player?

Pwy yw dy hoff chwaraewr di? (S.W.)

Fy hoff bethau i!	My favourite things!

Fy hoff dîm i yw ... (S.W.)

Fy hoff dîm i ydy ... (N.W.)

My favourite team is ...

Fy hoff dîm i oedd ...

My favourite team was ...

Fy hoff gamp i yw ... (S.W.)

Fy hoff gamp i ydy ... (N.W.)

My favourite sport is ...

Fy hoff gamp i oedd ...

My favourite sport was ...

Fy hoff safle i yw ... (S.W.)

Fy hoff safle i ydy ... (N.W.)

My favourite position is ...

Fy hoff safle i oedd ...

My favourite position was ...

FY HOFF DÎM I YW CYMRU

Fy hoff chwaraewr i yw ... (S.W.)	*My favourite player is ...*
Fy hoff chwaraewr i ydy ... (N.W.)	
Fy hoff chwaraewr i oedd ...	*My favourite player was ...*

Fy hoff athletwr i yw ... (S.W.)	*My favourite athlete is ...*
Fy hoff athletwr i ydy ... (N.W.)	
Fy hoff athletwr i oedd ...	*My favourite athlete was ...*

Fy hoff reolwr i yw ... (S.W.)	*My favourite manager is ...*
Fy hoff reolwr i ydy ... (N.W.)	
Fy hoff reolwr i oedd ...	*My favourite manager was ...*

Fy hoff liw i yw ... (S.W.)	*My favourite colour is ...*
Fy hoff liw i ydy ... (N.W.)	

FY HOFF LIW I YW OREN.

LLIWIAU

COLOURS

porffor

gwyn

oren

brown

gwyrdd

65

Fy hoff safle i yw eistedd! (S.W.)

vuh hoff <u>sahv</u>-leh ee eeoo <u>ey</u>-steth

My favourite position is sitting!

Fy hoff safle i ydy eistedd! (N.W.)

Del, pa mor aml wyt ti'n hyfforddi?

Del, pah mohr ahml ooeet teen huff-<u>ohr</u>-thee?

Del, how often do you train?

Dw i'n hyfforddi bron bob dydd.

dween huff-<u>ohr</u>-thee brohn borb deeth

I train almost every day.

Pa mor aml wyt ti'n hyfforddi?	*How often do you train?* *(singular familiar)*
Dw i'n hyfforddi ...	*I train ...*

bob dydd	*every day*
bron bob dydd	*nearly every day*
bob yn ail ddydd	*every other day*
unwaith yr wythnos	*once a week*
dwywaith yr wythnos	*twice a week*
tair gwaith yr wythnos	*three times a week*

Ble mae'r gêm? (S.W.)

Lle mae'r gêm? (N.W.)

Where is the game?

Mae'r gêm yn y stadiwm. *The game is in the stadium.*

Mae'r gêm yn Stadiwm Liberty. *The game is in Liberty Stadium.*

Ble mae'r sesiwn hyfforddi? (S.W.)

Lle mae'r sesiwn hyfforddi? (N.W.)

Where is the training session?

Mae'r sesiwn hyfforddi yn y gampfa. *The training session is in the gym.*

Mae'r sesiwn hyfforddi ar y cae. *The training session is on the field.*

Other handy vocab:

ar y cwrt *on the court*

ar y trac *on the track*

yn Stadiwm Principality *in the Principality Stadium*

Lle mae'r stadiwm? (N.W.)

Lleh my'r
<u>stahd</u>-eeom

Where is the stadium?

Ble mae'r stadiwm? (S.W.)

Ble mae'r toiledau? (S.W.)

bleh my-r toil-<u>eh</u>-dahee?

Where are the toilets?

Lle mae'r toiledau? (N.W.)

Pryd mae'r gêm?	*When is the game?*
heddiw	*today*
heno	*tonight*
yfory	*tomorrow*
nos yfory	*tomorrow night*
dydd Sadwrn	*Saturday*
dydd Sul	*Sunday*
nos Fawrth	*Tuesday night*
nos Fercher	*Wednesday night*
nos Wener	*Friday night*
wythnos nesa	*next week*
ar ôl swper	*after supper*
cyn cinio	*before dinner*
mewn awr	*in an hour*
mewn hanner awr	*in half an hour*

 See full list of the days and evenings of the week on the cover flaps.

Am faint o'r gloch mae'r gêm? *At what time is the game?*

tri o'r gloch — *three o'clock*

hanner awr wedi dau — *half past two*

hanner dydd — *midday*

saith o'r gloch — *seven o'clock*

hanner awr wedi saith — *half past seven*

chwarter i wyth — *quarter to eight*

chwarter wedi tri — *quarter past three*

 Look at the useful reference section on the cover flaps for more numbers.

Pryd mae'r rygbi?

preed my-r rugby

When is the rugby?

Am faint o'r gloch mae'r gêm?

ahm vaheent ohr glohkch my-r gehm?

What time is the game?

Y GAMP LAWN
THE GRAND SLAM

Dw i eisiau ... (S.W.) Dw i isio ... (N.W.)	*I want ...*

Dw i eisiau tocyn. (S.W.) Dw i isio tocyn. (N.W.)	*I want a ticket.*

Dw i eisiau mynd i'r gêm. (S.W.) Dw i isio mynd i'r gêm. (N.W.)	*I want to go to the game.*

Dw i eisiau chwarae golff. (S.W.) Dw i isio chwarae golff. (N.W.)	*I want to play golf.*

Dw i eisiau gwylio hoci. (S.W.) Dw i isio gwylio hoci. (N.W.)	*I want to watch hockey.*

DW I EISIAU TOCYN I'R GÊM.

Dw i ddim eisiau ... (S.W.) **Dw i ddim isio ... (N.W.)**	*I don't want ...*

Dw i ddim eisiau raced. (S.W.) Dw i ddim isio raced. (N.W.)	*I don't want a racquet.*
Dw i ddim eisiau mynd i'r gampfa. (S.W.) Dw i ddim isio mynd i'r gampfa. (N.W.)	*I don't want to go to the gym.*
Dw i ddim eisiau chwarae rygbi. (S.W.) Dw i ddim isio chwarae rygbi. (N.W.)	*I don't want to play rugby.*
Dw i ddim eisiau gwylio pêl-droed. (S.W.) Dw i ddim isio gwylio pêl-droed. (N.W.)	*I don't want to watch football.*

Dw i isio bwyd! (N.W.)

dwee <u>eh</u>-shoh booed

I want food!

Dw i eisiau bwyd! (S.W.)

Wyt ti eisiau ... ? (S.W.) Wyt ti isio ... ? (N.W.)	*Do you want ... ? (singular familiar)*
Wyt ti eisiau helmed? (S.W.) Wyt ti isio helmed? (N.W.)	*Do you want a helmet?*
Wyt ti eisiau mynd i'r clwb? (S.W.) Wyt ti isio mynd i'r clwb? (N.W.)	*Do you want to go to the club?*
Wyt ti eisiau chwarae tennis? (S.W.) Wyt ti isio chwarae tennis? (N.W.)	*Do you want to play tennis?*
Wyt ti eisiau gwylio('r) rygbi? (S.W.) Wyt ti isio gwylio('r) rygbi? (N.W.)	*Do you want to watch (the) rugby?*

WYT TI ISIO MYND I'R CLWB?

Dych chi eisiau ... ? (S.W.) **Dach chi isio ... ? (N.W.)**	*Do you want ... ? (singular formal or plural)*

Dych chi eisiau pêl? (S.W.)

Dach chi isio pêl? (N.W.)

Do you want a ball?

Dych chi eisiau mynd i'r gêm? (S.W.)

Dach chi isio mynd i'r gêm? (N.W.)

Do you want to go to the club?

Dych chi eisiau chwarae golff? (S.W.)

Dach chi isio chwarae golff? (N.W.)

Do you want to play golf?

Dych chi eisiau gwylio('r) pêl-droed? (S.W.)

Dach chi isio gwylio('r) pêl-droed? (N.W.)

Do you want to watch (the) football?

Dw i eisiau codi pwysau! (S.W.)

dwee <u>eh</u>-shy <u>koh</u>-dee <u>pooee</u>-sigh

I want to lift weights!

Dw i isio codi pwysau. (N.W.)

Oes tocyn gyda ti? (S.W.) Sgen ti docyn? (N.W.)	*Have you got a ticket?* *(singular familiar)*

Oes tocynnau gyda chi? (S.W.) Sgynnoch chi docynnau? (N.W.)	*Have you got tickets? (singular* *formal or plural)*

Oes. / Nac oes.	*Yes. / No.*

Mae tocyn gyda fi. (S.W.) Mae gen i docyn. (N.W.)	*I've got a ticket.*

Mae pêl gyda fi. (S.W.) Mae gen i bêl. (N.W.)	*I've got a ball.*

Mae raced gyda fi. (S.W.) Mae gen i raced. (N.W.)	*I've got a racquet.*

Mae helmed gyda fi. (S.W.) Mae gen i helmed. (N.W.)	*I've got a helmet.*

Does dim bat gyda fi. (S.W.)

Sgen i ddim bat. (N.W.)

I haven't got a bat.

Does dim ffon golff gyda fi. (S.W.)

Sgen i ddim ffon golff. (N.W.)

I haven't got a golf club.

Does dim ffon hoci gyda fi. (S.W.)

Sgen i ddim ffon hoci. (N.W.)

I haven't got a hockey stick.

Does dim ciw gyda fi. (S.W.)

Sgen i ddim ciw. (N.W.)

I haven't got a cue.

Faint yw tocyn i'r gêm? (S.W.)

Faint ydy tocyn i'r gêm? (N.W.)

How much is a ticket for the game?

Faint yw tocyn i'r gêm? (S.W.)

vaheent eeoo <u>toh</u>-kuhn eer gehm

How much is a ticket for the game?

Faint ydy tocyn i'r gêm? (N.W.)

£70

Arian Del
Del's Money

Pwy sy'n chwarae?	Who's playing?
Mae Bangor yn chwarae heno.	*Bangor are playing tonight.*
Mae John Jones yn chwarae.	*John Jones is playing.*
Mae Jones a Davies yn chwarae.	*Jones and Davies are playing.*
Dyw Caerdydd ddim yn chwarae yfory. (S.W.) Dydy Caerdydd ddim yn chwarae yfory. (N.W.)	*Cardiff aren't playing tomorrow.*
Dyw Price ddim yn chwarae wythnos nesa. (S.W) Dydy Price ddim yn chwarae wythnos nesa. (N.W.)	*Price isn't playing next week.*
Dyw Hughes a Roberts ddim yn chwarae. (S.W) Dydy Hughes a Roberts ddim yn chwarae. (N.W.)	*Hughes and Roberts aren't playing.*

MAE BANGOR YN CHWARAE HEDDIW.

Pwy sy'n rhedeg/rasio?	Who's running/racing?
'Dyn ni'n rhedeg yfory. (S.W.) Dan ni'n rhedeg yfory. (N.W.)	*We're running tomorrow.*
'Dyn ni ddim yn rhedeg wythnos nesa. (S.W.) Dan ni ddim yn rhedeg wythnos nesa. (N.W.)	*We're not running next week.*
Dych chi'n rhedeg heno. (S.W.) Dach chi'n rhedeg heno. (N.W.)	*You (singular formal / plural) are running tonight.*
Dych chi ddim yn rasio heno. (S.W.) Dach chi ddim yn rasio heno. (N.W.)	*You aren't racing tonight. (singular formal / plural)*
Maen nhw'n rasio nos Wener.	*They're racing Friday night.*
'Dyn nhw ddim yn rasio nos Iau. (S.W.) Dydyn nhw ddim yn rasio nos Iau. (N.W.)	*They're not racing Thursday night.*

Dw i'n rasio yn erbyn y plant!

dween <u>rash</u>-eeoh uhn <u>ehr</u>-bin uh plahnt!

I'm racing against the children!

yn erbyn	against

Mae Cymru yn chwarae yn erbyn Lloegr.

Wales are playing against England.

Dyw Cymru ddim yn chwarae yn erbyn Tonga. (S.W.)

Dydy Cymru ddim yn chwarae yn erbyn Tonga. (N.W.)

Wales aren't playing against Tonga.

Maen nhw'n rasio yn erbyn y cloc.

They're racing against the clock.

'Dyn nhw ddim yn rasio yn erbyn y cloc. (S.W.)

Dydyn nhw ddim yn rasio yn erbyn y cloc. (N.W.)

They're not racing against the clock.

DW I AR Y FAINC!

Pwy sy ar y fainc?	**Who's on the bench?**
Dw i ar y fainc.	*I'm on the bench.*
Rwyt ti ar y fainc.	*You're on the bench. (singular familiar)*
Mae Huw ar y fainc.	*Huw is on the bench.*
Mae Beca a Sara ar y fainc.	*Beca and Sara are on the bench.*

'Dyn ni ar y fainc. (S.W.)	*We're on the bench.*
Dan ni ar y fainc. (N.W.)	

Dych chi ar y fainc. (S.W.)	*You're on the bench. (singular formal / plural)*
Dach chi ar y fainc. (N.W.)	

Maen nhw ar y fainc.	*They're on the bench.*

PWY SY AR Y FAINC?

MAE GARETH AR Y FAINC.

Beth yw'r sgôr? (S.W.) Be ydy'r sgôr? (N.W.)	*What's the score?*

Beth oedd y sgôr? (S.W.) Be oedd y sgôr? (N.W.)	*What was the score?*

dim sgôr / dim dim	*0-0*
un gôl i ddim / un dim	*1-0*
un gôl yr un / un un	*1-1*
dwy gôl i ddim / dau dim	*2-0*
dwy gôl i un / dau un	*2-1*
dwy gôl yr un / dau dau	*2-2*

 Note: gôl in Welsh is a feminine noun, so dwy, tair, pedair are used.

tair gôl i ddim / tri dim	3-0
tair gôl i un / tri un	3-1
tair gôl i ddwy / tri dau	3-2
tair gôl yr un / tri tri	3-3
pedair gôl i un / pedwar un	4-1
pedair gôl i ddwy / pedwar dau	4-2
pedair gôl i dair / pedwar tri	4-3

naw pwynt i ddim / naw dim	9-0
saith pwynt i dri / saith tri	7-3
tri phwynt i ddim / tri dim	3-0
chwe phwynt i dri / chwech tri	6-3
un deg pump (pwynt) yr un	15-15
tri deg dau pwynt i naw / tri deg dau naw	32-9

... i Gymru!	... to Wales!
... i ni!	... to us!
... iddyn nhw!	... to them!

 See list of numbers on the cover flaps.

Beth yw'r sgôr?
(S.W.)

Behth eeoor score?

What's the score?

Be ydy'r sgôr? (N.W.)

Sylwadau am ddigwyddiad	*Comments on sporting event*
Chwarae	*Play*
Chwarae da!	*Good play!*
Chwarae gwych!	*Great play!*
Chwarae ofnadwy!	*Terrible play!*
Chwarae uffernol!	*Dreadful play!*
Pasio	*Passing*
Pasio da!	*Good passing!*
Pasio gwych!	*Great passing!*
Pasio gwael!	*Poor passing!*

Sgôr	Score
Sgôr gwych!	*A great score!*
Sgôr ffantastig!	*A fantastic score!*
Sgôr da!	*A good score!*
Am sgôr!	*What a score!*

Cais	*Try* (rygbi)
Cais gwych!	*A great try!*
Cais ffantastig!	*A fantastic try!*
Cais da!	*A good try!*
Cais lwcus!	*A lucky try!*
Cais arbennig!	*A special try!*
Cais cofiadwy!	*A memorable try!*
Cais i Gymru!	*A try for Wales!*
Cais i ni!	*A try for us!*
Cais iddyn nhw!	*A try for them!*
Am gais!	*What a try!*

Anaf	*Injury*
Anaf cas	*A nasty injury*

Gêm ⟨*⟩	*Game*
Gêm wych!	*A great game!*
Gêm ffantastig!	*A fantastic game!*
Gêm dda!	*A good game!*
Gêm wael!	*A poor game!*
Gêm agos!	*A close game!*
Gêm siomedig!	*A disappointing game!*
Gêm uffernol!	*A terrible game!*
Gêm arbennig!	*A special game!*
Gêm o ddau hanner	*A game of two halves*
Gêm gyfartal	*A draw*
Am gêm!	*What a game!*

GÊM WYCH!

Gôl!	*Goal!*
Gôl wych!	*A great goal!*
Gôl ffantastig!	*A fantastic goal!*
Gôl dda!	*A good goal!*
Gôl lwcus!	*A lucky goal!*
Gôl arbennig!	*A special goal!*
Gôl gofiadwy!	*A memorable goal!*
Gôl i Gymru!	*A goal for Wales!*
Gôl i ni!	*A goal for us!*
Gôl iddyn nhw!	*A goal for them!*
Cefn y rhwyd!	*Back of the net!*
Am gôl!	*What a goal!*

GÔL DDA!

AM GIC!

Cic *	Kick
Cic wych!	A fantastic kick!
Cic dda!	A good kick!
Cic wael!	A poor kick!
Cic rydd	Free kick
Cic uffernol!	A dreadful kick!
Cic gosb	Penalty kick
Cic o'r smotyn	Penalty kick (pêl-droed)
Cic i Gymru!	A kick for Wales!
Cic i ni!	A kick for us!
Cic iddyn nhw!	A kick for them!
Yn syth rhwng y pyst!	Straight between the posts! (rygbi)
Am gic!	What a kick!

Tacl [*]	Tackle
Tacl dda!	*A good tackle!*
Tacl galed!	*A hard tackle!*
Tacl gas!	*A nasty tackle!*
Tacl uffernol!	*A dreadful tackle!*
Am dacl!	*What a tackle!*

Ergyd [*]	Strike
Ergyd dda!	*A good strike!*
Ergyd galed!	*A hard strike!*
Ergyd lwcus!	*A lucky strike!*
Ergyd anlwcus!	*An unlucky strike!*
Am ergyd!	*What a strike!*

Welaist ti'r gêm? (S.W.) Wnest ti weld y gêm? (N.W.)	*Did you see the game?* *(singular familiar)*
Weloch chi'r gêm? (S.W.) Wnaethoch chi weld y gêm? (N.W.)	*Did you see the game?* *(singular formal or plural)*

Do. / Naddo.	*Yes. / No.*

Beth ddigwyddodd? (S.W.) Be wnaeth ddigwydd? (N.W.)	*What happened?*
Pwy enillodd? (S.W.) Pwy wnaeth ennill? (N.W.)	*Who won?*

Curodd Arsenal Chelsea.	*Arsenal beat Chelsea.*
Curodd y Gweilch y Dreigiau.	*The Ospreys beat the Dragons.*
Curodd y Gleision y Scarlets.	*The Blues beat the Scarlets.*

TACL GAS!

Enillodd Caerdydd. (S.W.)

Mi wnaeth Caerdydd ennill. (N.W.)

Cardiff won.

Enillais i. (S.W.)

Mi wnes i ennill. (N.W.)

I won.

Enillon ni. (S.W.)

Mi wnaethon ni ennill. (N.W.)

We won.

Enillon nhw. (S.W.)

Mi wnaethon nhw ennill. (N.W.)

They won.

Collodd Abertawe. (S.W.)

Mi wnaeth Abertawe golli.
(N.W.)

Swansea lost.

Collais i. (S.W.)

Mi wnes i golli. (N.W.)

I lost.

Collon ni. (S.W.)

Mi wnaethon ni golli. (N.W.)

We lost.

Collon nhw. (S.W.)

Mi wnaethon nhw golli. (N.W.)

They lost.

Enillais i! (S.W.)

ehn-<u>ee</u>-llchahees ee!

I won.

Mi wnes i ennill! (N.W.)

Chwaraeodd y tîm yn dda. (S.W.)

Mi wnaeth y tîm chwarae'n dda. (N.W.)

The team played well.

Chwaraeais i'n weddol. (S.W.)

Mi wnes i chwarae'n weddol. (N.W.)

I played ok.

Chwaraeon ni'n dda iawn. (S.W.)

Mi wnaethon ni chwarae'n dda iawn. (N.W.)

We played very well.

Chwaraeon nhw'n wych. (S.W.)

Mi wnaethon nhw chwarae'n wych. (N.W.)

They played fantastically.

Chwaraeodd pawb yn wael. (S.W.)

Mi wnaeth pawb chwarae'n wael. (N.W.)

Everyone played badly.

Chwaraeais i'n wael iawn. (S.W.)

Mi wnes i chwarae'n wael iawn. (N.W.)

I played very badly.

Chwaraeon ni'n uffernol. (S.W.)

Mi wnaethon ni chwarae'n uffernol. (N.W.)

We played dreadfully.

Chwaraeon nhw'n ofnadwy. (S.W.)

Mi wnaethon nhw chwarae'n ofnadwy. (N.W.)

They played terribly.

Pwy sgoriodd? (S.W.)

Pwy wnaeth sgorio? (N.W.)

Who scored?

Sgoriodd Jones un gôl. (S.W.)

Mi wnaeth Jones sgorio un gôl. (N.W.)

Jones scored one goal.

Sgoriodd Hughes ddwy gôl. (S.W.)

Mi wnaeth Hughes sgorio dwy gôl. (N.W.)

Hughes scored two goals.

Sgoriodd Bowen un cais. (S.W.)

Mi wnaeth Bowen sgorio un cais. (N.W.)

Bowen scored one try.

Sgoriodd Davies ddau gais. (S.W.)

Mi wnaeth Davies sgorio dau gais. (N.W.)

Davies scored two tries.

Sgoriais i un deg saith pwynt. (S.W.)

Mi wnes i sgorio un deg saith pwynt. (N.W.)

I scored 17 points.

Daeth Gareth yn gyntaf.
(S.W.)

Mi wnaeth Gareth ddod yn
gyntaf. (N.W.)

Gareth came first.

Des i'n ail. (S.W.)

Mi wnes i ddod yn ail. (N.W.)

I came second.

Daethon ni'n drydydd.
(S.W.)

Mi wnaethon ni ddod yn
drydydd. (N.W.)

We came third.

Daeth Emrys yn drydydd. (S.W.)

daheeth Emrys uhn
druhd-eeth

Emrys came third.

Mi wnaeth Emrys ddod yn drydydd.
(N.W.)

HEN WLAD FY NHADAU

WELSH NATIONAL ANTHEM

Mae hen wlad fy nhadau yn annwyl i mi,
Gwlad beirdd a chantorion, enwogion o fri;
Ei gwrol ryfelwyr, gwladgarwyr tra mad,
Dros ryddid collasant eu gwaed.

Cytgan *Chorus*
Gwlad, gwlad, pleidiol wyf i'm gwlad.
Tra môr yn fur i'r bur hoff bau,
O bydded i'r heniaith barhau.

In loving memory of Gareth Wyn Head.
A passionate sports fan, a fluent Welsh speaker and an exceptional father.
- R. H.

Published by Handy Learners

An imprint of Rily Publications Ltd
PO Box 257, Caerphilly CF83 9FL

ISBN 978-1-84967-562-8

Text Copyright © Elin Meek, 2021

Illustrations Copyright © Ryan Head, 2021

Characters and Storylines Copyright © HRDT Ltd, 2021

The right of Elin Meek and Ryan Head to be identified as the author and illustrator of this Work has been asserted by her in accordance with sections 77 and 78 of the Copyright, Designs and Patents Act 1988.

All rights reserved under International and Pan-American Copyright Conventions. No part of this publication may be reproduced, distributed stored or transmitted in any form, or by any means, without the prior written permission of the publisher.

Handy Learners does not warrant that any website mentioned in this title will be provided uninterrupted, than any website will be error free, that defects will be corrected, or that the website or the server that makes it available are free of viruses or bugs. For full terms and conditions please refer to the site terms provided on the website.

Design by Richard Huw Pritchard

Special thanks to Gwenno Hughes for kindly supplying the North Walian voice of Beca.

Published with the financial support of the Books Council of Wales.

Printed in Malta.

Handy Learners has made every reasonable effort to ensure that any picture content and written content in this book has been included or removed in accordance with the contractual and technological constraints in operation at the time of publication.